Józef Piłsudski

Stefan Wyszyński

Jan Paweł II

wojna światowa

dzisiaj
2009 rok

Komunizm

II wojna światowa

Solidarność

SOLIDARNOŚĆ

eusz Kościuszko

KOCHAM POLSKĘ

Joanna i Jarosław
Szarkowie

DZIEJE NASZEJ OJCZYZNY

HISTORIA DLA NAJMŁODSZYCH

Narodziny Polski

Legenda mówi, że nasze państwo założył Lech, brat Czecha i Rusa. Lech panował nad krajem Polan. To właśnie od nich pochodzą nazwy „Polska" i „Polacy". Ziemie Polan otoczone były bagnami, rzekami, borami i puszczami bardzo trudnymi do przebycia.

Po pokonaniu okrutnego władcy Popiela państwem władał Piast, opiekun książęcych dzieci i zarządca dworu księcia. On to zapoczątkował rządy nowej dynastii, czyli nowej rodziny panującej, zwanej właśnie Piastami. Stolicą Polski było Gniezno, a symbolem i znakiem rozpoznawczym Piastów – Orzeł Biały.

Polska stała się naprawdę silnym państwem pod rządami księcia Mieszka I, który podbił sąsiednie plemiona i przyłączył nowe ziemie. On też podjął najważniejszą decyzję w dziejach naszej ojczyzny: przyjął chrzest. Dzięki temu Polska znalazła się w wielkiej, europejskiej chrześcijańskiej rodzinie.

Mieszko I

Mieszko I i Bolesław Chrobry mieli swoje wojsko, czyli drużynę. Składała się ona z kilku tysięcy wojów zwanych pancernymi, ponieważ ubierali się w pancerze-kolczugi, zrobione ze splecionych metalowych kółek. W drużynie Mieszka służyli przybywający zza morza bardzo waleczni Wikingowie.

Bolesław Chrobry

Polanie – plemię, którego nazwa wywodzi się od „pola".

Syn Mieszka I – Bolesław Chrobry, czyli mężny, okazał się jeszcze potężniejszym władcą niż ojciec. W Gnieźnie odwiedził Chrobrego niemiecki cesarz Otton III, który uznał go za równego sobie. Podarował polskiemu księciu włócznię św. Maurycego – symbol władzy cesarskiej, a na jego głowę włożył diadem.

Insygnia to symbole władzy królewskiej. Należą do nich korona, jabłko, berło, a także miecz.

Poganin – to ktoś, kto nie zna i nie wierzy w Jezusa Chrystusa.

Relikwie – to ciało i wszystkie rzeczy, które należały do świętego.

Bolesław natomiast dał Ottonowi cenne relikwie – ramię św. Wojciecha, biskupa, który z polecenia Chrobrego głosił słowo Boże wśród pogańskich Prusów i został przez nich zabity. Bolesław wykupił ciało męczennika, płacąc za nie tyle złota, ile ważyło. Wkrótce papież ogłosił Wojciecha świętym i patronem Polski. Bolesław Chrobry był pierwszym królem Polski. Koronacja podkreśliła jego siłę i niezależność.

Podobno złego księcia Popiela zjadły myszy w wieży w Kruszwicy na jeziorze Gopło.

Pytania

1. Jaka była najważniejsza decyzja Mieszka I?
2. Jak nazywa się pierwszy król Polski?
3. Jak byli ubrani wojowie Mieszka I i Bolesława Chrobrego?

3

Polska podzielona

Syn Bolesława Chrobrego, Mieszko II, także został królem, ale jego szczęśliwe panowanie trwało bardzo krótko. Najazdy sąsiednich państw, Niemiec i Rusi, oraz niezadowoleni możnowładcy zmusili króla do oddania władzy. Gdy ją odzyskał, nie był już tak silny. Odesłał cesarzowi koronę królewską.

Mieszko II

Możnowładcy to bogaci wojowie i inni ważni w państwie ludzie, którzy doradzali i pomagali władcy.

Mieszko II umiał czytać i pisać, co w jego czasach potrafiło niewielu ludzi (ok. 40 osób). Znał także cztery obce języki.

Po śmierci Mieszka II rządy objął jego syn Kazimierz, który został nazwany Odnowicielem, ponieważ udało mu się odbudować kraj po zniszczeniach spowodowanych buntami poddanych oraz najazdami obcych władców. Kazimierz przeniósł swoją siedzibę do Krakowa, odtąd nowej stolicy Polski.

Z kolei syn Odnowiciela, Bolesław, zyskał dwa przydomki: Śmiały i Szczodry.

Wincenty Kadłubek był biskupem krakowskim. Napisał kronikę o dziejach Polski. Był to pierwszy podręcznik do nauki czytania w Polsce. Uczył, jak kochać ojczyznę. To właśnie Kadłubek wprowadził w naszych kościołach czerwone światełko palące się cały czas przed Najświętszym Sakramentem.

Książę czeski Brzetysław złupił i zniszczył Gniezno, ukradł relikwie św. Wojciecha, a resztę łupów wywiózł na 100 wozach.

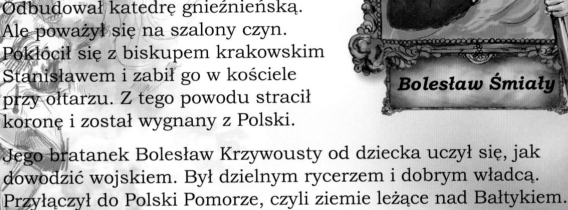

Bolesław Śmiały

Był bardzo waleczny, odważny, hojny, ale także porywczy. Odbudował katedrę gnieźnieńską. Ale poważył się na szalony czyn. Pokłócił się z biskupem krakowskim Stanisławem i zabił go w kościele przy ołtarzu. Z tego powodu stracił koronę i został wygnany z Polski.

Jego bratanek Bolesław Krzywousty od dziecka uczył się, jak dowodzić wojskiem. Był dzielnym rycerzem i dobrym władcą. Przyłączył do Polski Pomorze, czyli ziemie leżące nad Bałtykiem. Po jego śmierci kraj został zgodnie z życzeniem księcia podzielony na pięć części. Każdą z nich rządził jeden z synów Krzywoustego.

Przez ponad 100 lat nie udało się połączyć tych części w jedno silne państwo. Gdy starali się to uczynić książęta śląscy, na Polskę spadło wielkie nieszczęście. Najechali nasz kraj, siejący postrach w całej Europie, dzicy Tatarzy. W bitwie z nimi, pod Legnicą, zginął śląski książę Henryk Pobożny.

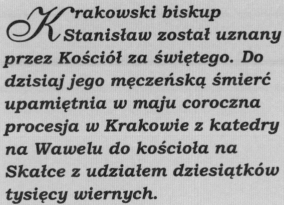

Krakowski biskup Stanisław został uznany przez Kościół za świętego. Do dzisiaj jego męczeńską śmierć upamiętnia w maju coroczna procesja w Krakowie z katedry na Wawelu do kościoła na Skałce z udziałem dziesiątków tysięcy wiernych.

Pytania

1. Kto najechał na Polskę po śmierci Bolesława Chrobrego?
2. Ile języków obcych znał Mieszko II?
3. Kto napisał pierwszy podręcznik do nauki czytania w Polsce?

Od Polski drewnianej do murowanej

Kazimierz Wielki

Rozbicie Polski na części, czyli dzielnice, było przyczyną osłabienia naszego kraju. Na drogach grasowali zbójcy, Tatarzy spalili Kraków, sąsiedzi grabili i zajmowali polskie ziemie. Brakowało silnego, jednego władcy, który troszczyłby się o bezpieczeństwo poddanych.

W końcu udało się połączyć, czyli zjednoczyć, dwie najważniejsze ziemie: Małopolskę i Wielkopolskę, a rządy nad nimi objął książę z dynastii Piastów Przemysł II. Został on nawet koronowany na króla. Niestety, już rok później zamordowali go wynajęci przez sąsiednich Brandenburczyków bandyci.

Grosz to nazwa pieniądza wprowadzonego przez Kazimierza Wielkiego. Choć dzisiaj są to najdrobniejsze monety, w czasach króla miały dużą wartość.

W następnych latach o zjednoczenie Polski bardzo dzielnie i wytrwale walczył książę Władysław Łokietek.

Szlak Orlich Gniazd to szlak murowanych, obronnych zamków zbudowanych na rozkaz Kazimierza Wielkiego.

6

Szczerbiec to miecz koronacyjny królów Polski. Po raz pierwszy użyto go przy koronacji Władysława Łokietka. Jest przechowywany na Wawelu.

Mimo że był niskiego wzrostu, o czym świadczy jego przydomek, okazał się odważnym i dobrym władcą. Jego koronacja na króla w katedrze wawelskiej zakończyła rozbicie Polski.

Po śmierci Łokietka na tron Polski wstąpił jego syn Kazimierz. Jest to jedyny w historii Polski władca, którego nazwano Wielkim. Udało mu się zrobić wszystko, aby państwo było silne, sprawiedliwe i bezpieczne. Uporządkował i kazał spisać obowiązujące prawa. Wprowadził w całej Polsce jeden pieniądz – grosz. Zapełnił skarbiec królewski. Największe dochody przynosiły kopalnie soli, nazywane wtedy żupami, w Wieliczce i Bochni. Tylko król mógł sprzedawać sól, czyli miał na nią monopol. Kazimierz rozkazał wybudować wiele murowanych, obronnych zamków. Dzięki niemu powstawały nowe miasta, dlatego mówimy, że „zastał Polskę drewnianą, a zostawił murowaną". Założył Akademię Krakowską, czyli uniwersytet. Starał się nie prowadzić wojen z sąsiadami, a konflikty rozwiązywać pokojowo. Nie pozostawił następcy tronu, bo nie miał syna. Był więc ostatnim władcą z dynastii Piastów.

Przydomek „Łokietek" pochodzi od łokcia, nazwy miary, której używano do mierzenia materiałów.

Od koronacji Przemysła II naszym godłem państwowym jest Orzeł Biały na czerwonym tle.

Pytania

1. Dlaczego króla Kazimierza nazywamy Wielkim?
2. Jak nazywa się miecz koronacyjny polskich królów?
3. Jak nazywał się uniwersytet, który założył Kazimierz Wielki?

Pod berłem królowej Jadwigi i Jagiellonów

Królowa Jadwiga

Ponieważ Kazimierz Wielki nie zostawił następcy tronu, królem Polski został władca z Węgier, Ludwik Andegaweński. Jego mamą była córka Władysława Łokietka, Elżbieta. Ona też sprawowała rządy w naszym kraju, bo jej syn zajęty był sprawami Węgier.

Ludwik także nie miał następcy, ale za to aż trzy córki. Najmłodsza z nich Jadwiga, bardzo piękna, mądra i dobra, została po śmierci ojca królem Polski. W dniu koronacji miała zaledwie 10 lat. Wkrótce wybrano dla niej męża, dużo starszego księcia Jagiełłę z sąsiedniego, jeszcze pogańskiego kraju, Litwy. Zostając królem Polski, Jagiełło przyjął chrzest i imię Władysław oraz połączył oba państwa. Był pierwszym władcą nowej dynastii Jagiellonów.

Królowa Jadwiga przeznaczyła swoje klejnoty na odnowienie Akademii Krakowskiej. Papież Polak Jan Paweł II ogłosił ją świętą i patronką Polski.

Władysław miał cztery żony. Ostatnia z nich Zofia, zwana Sońką, urodziła dwóch synów. Starszy z nich Władysław został królem Polski, kiedy miał 10 lat. W rządzeniu pomagał mu biskup Zbigniew Oleśnicki.

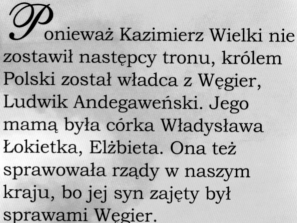

W bitwie pod Grunwaldem walczył najsławniejszy i najdzielniejszy polski rycerz Zawisza Czarny z Garbowa. Był niezwyciężony w turniejowych pojedynkach. Zawsze mówił prawdę i nigdy nie zawiódł przyjaciół.

Władysław Jagiełło

Kazimierz Jagiellończyk

Król Władysław Jagiełło ze swoim wojskiem pokonał pod Grunwaldem potęgę zakonu krzyżackiego. Krzyżacy zostali sprowadzeni do Polski, aby szerzyć chrześcijaństwo. Zaczęli jednak zagarniać polskie ziemie i stworzyli własne państwo ze stolicą w Malborku.

Młody król był także władcą Węgier. Zginął w wielkiej bitwie z Turkami pod Warną (dzisiaj to miasto w Bułgarii), dlatego nazywa się go Władysławem Warneńczykiem.

Drugi syn Jagiełły, Kazimierz Jagiellończyk, przyłączył do Polski Pomorze i część Mazowsza. Jego żona Elżbieta wydała na świat trzynaścioro dzieci. Czterech jej synów zasiadło na tronie, dlatego nazywana jest matką królów.

Pod panowaniem Jagiellonów Polska była jednym z najsilniejszych, największych i najbogatszych państw Europy.

Wit Stwosz wyrzeźbił wspaniały i wielki ołtarz do kościoła Mariackiego w Krakowie.

Pytania

1. Ile lat miała Jadwiga, gdy została królem Polski?
2. Gdzie Władysław Jagiełło pokonał Krzyżaków?
3. Jak nazywał się najdzielniejszy polski rycerz?

9

Złoty czas

Za panowania dwóch ostatnich królów z dynastii Jagiellonów, Zygmunta Starego i Zygmunta Augusta, Polska słynęła z wielu bogactw. Mieliśmy obfite zbiory zboża, które mogliśmy sprzedawać do innych krajów. Ludzie kupowali piękne stroje, ozdoby, lubili się bawić i ucztować. Nie było wielkich wojen, panował spokój. Do Polski przybywali znakomici uczeni i artyści.

Zygmunt Stary

Budowali wspaniałe kościoły, kamienice i pałace. Polacy studiowali na Uniwersytecie Jagiellońskim lub za granicą. Odbywali długie i ciekawe podróże.

Król Zygmunt Stary ożenił się z włoską księżniczką Boną, która sprowadziła do Polski włoskich uczonych i artystów.

Zygmunt August

Król Zygmunt August bardzo lubił szlachetne kamienie, piękne ozdoby, rzeźby i obrazy oraz książki. Miał wielką kolekcję dzieł sztuki. Opiekował się artystami. Po śmierci ukochanej żony Barbary ubierał się do końca życia na czarno.

Król Zygmunt Stary kazał odlać ogromny dzwon, który zawisł na wieży wawelskiej katedry. Aby zaczął bić, musi go rozkołysać 12 mężczyzn.

Dach kaplicy Zygmuntowskiej na Wawelu pokryty jest prawdziwym złotem.

Mikołaj Kopernik z Torunia to największy polski astronom. To on udowodnił, że Ziemia krąży wokół Słońca, a nie odwrotnie. Był także matematykiem, lekarzem, księdzem i dowódcą wojskowym. Obronił przed Krzyżakami miasto Olsztyn.

Nauczyła także Polaków jeść warzywa, takie jak kapusta, kalafior czy pomidory, nazywane włoszczyzną.

Za panowania Zygmunta przestało istnieć państwo krzyżackie. Jego władca złożył polskiemu królowi hołd, czyli obiecał posłuszeństwo.

Syn Zygmunta Starego i Bony, Zygmunt August, doprowadził do połączenia Polski i Litwy. Odtąd nasze państwo było nazywane Rzeczpospolitą Obojga Narodów. Należało do największych w Europie, rozciągało się od morza do morza, czyli od Bałtyku do Morza Czarnego.

Rzeczpospolita to inaczej rzecz wspólna, co oznacza, że państwo należy do całego narodu. Dlatego dawni rycerze, nazywani teraz szlachtą, domagali się udziału w rządach krajem.

Jan Kochanowski to nasz wielki poeta, który pisał po polsku. Gdy zmarła jego mała córeczka Urszulka, napisał piękne i wzruszające wiersze żałobne, czyli treny. Wyraził w nich swoją miłość i tęsknotę za dzieckiem.

Stańczyk był ulubionym błaznem królewskim. Żartował nawet z króla. Tak naprawdę był bardzo mądry i potrafił udzielić władcy cennych rad.

Pytania

1. Jak nazywa się największy polski astronom i czego dokonał?
2. Czym pokryto dach kaplicy Zygmuntowskiej na Wawelu?
3. Co sprowadziła do Polski królowa Bona?

11

Wojna za wojną

Zygmunt August był ostatnim władcą z dynastii Jagiellonów. Ponieważ nie miał syna, po jego śmierci szlachta wybrała nowego króla. Był on Francuzem. Nazywał się Henryk Walezy. Opuścił jednak Polskę, bo wolał zostać królem Francji.

Nasz kraj potrzebował wówczas walecznych władców, gdyż przez bardzo długi czas miał prowadzić wiele wojen.

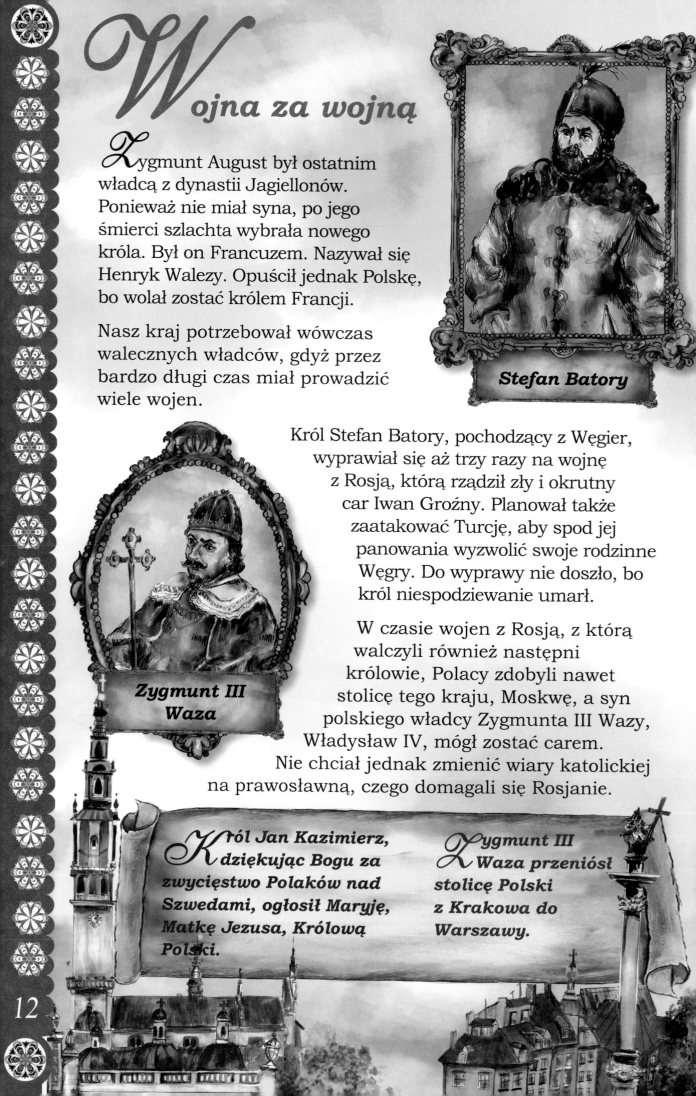

Stefan Batory

Zygmunt III Waza

Król Stefan Batory, pochodzący z Węgier, wyprawiał się aż trzy razy na wojnę z Rosją, którą rządził zły i okrutny car Iwan Groźny. Planował także zaatakować Turcję, aby spod jej panowania wyzwolić swoje rodzinne Węgry. Do wyprawy nie doszło, bo król niespodziewanie umarł.

W czasie wojen z Rosją, z którą walczyli również następni królowie, Polacy zdobyli nawet stolicę tego kraju, Moskwę, a syn polskiego władcy Zygmunta III Wazy, Władysław IV, mógł zostać carem. Nie chciał jednak zmienić wiary katolickiej na prawosławną, czego domagali się Rosjanie.

Król Jan Kazimierz, dziękując Bogu za zwycięstwo Polaków nad Szwedami, ogłosił Maryję, Matkę Jezusa, Królową Polski.

Zygmunt III Waza przeniósł stolicę Polski z Krakowa do Warszawy.

Jan III Sobieski zdobył na Turkach duże zapasy kawy. Do tego czasu Polacy w ogóle jej nie znali i nie pili.

Wielką wojnę Polacy prowadzili także ze Szwecją. Jej król Karol Gustaw chciał uczynić z Bałtyku swoje morze, dlatego najechał Polskę. Armia szwedzka była tak liczna i niszczyła polskie ziemie tak straszliwie, że najazd ten nazwano potopem, czyli prawdziwą katastrofą. Polacy jednak potrafili obronić się przed wrogami. Bohaterską walką zasłynął klasztor na Jasnej Górze koło Częstochowy, który przetrwał trwające dwa miesiące oblężenie.

Największe zwycięstwo Polska odniosła nad Turkami. Nasz król Jan III Sobieski wyruszył z armią pod Wiedeń oblegany przez Turków. Jego wspaniałe zwycięstwo uratowało chrześcijańską Europę przed muzułmanami, wyznawcami Allacha. Dlatego papież nazwał Sobieskiego obrońcą wiary. W bitwie wzięła udział husaria, najlepsze i najsławniejsze polskie wojsko, którego znakiem rozpoznawczym były skrzydła.

Stefan Czarniecki był najlepszym dowódcą polskich wojsk w czasie potopu szwedzkiego.

Anna Jagiellonka, siostra Zygmunta Augusta, była królem Polski i żoną Stefana Batorego. Pomagała artystom i uczonym, sama pięknie haftowała.

Pytania

1. Kto przeniósł stolicę z Krakowa do Warszawy?
2. Co to była husaria?
3. Jaki napój Polacy piją od czasów Jana III Sobieskiego?

13

Majowa jutrzenka

Długie wojny bardzo zniszczyły i osłabiły Rzeczpospolitą. Ostatni król Polski Stanisław August Poniatowski został wybrany na tron dzięki pomocy carycy Katarzyny, władczyni Rosji. Teraz to ona chciała decydować o tym, jak rządzić Polską. Jej ludzie przekupili niektórych Polaków i nie pozwalali na żadne dobre zmiany, czyli reformy, w naszej ojczyźnie.

Stanisław August Poniatowski

Szlachta, która nie chciała, by Rosja wtrącała się do polskich spraw, postanowiła usunąć Rosjan z Polski, a Stanisława Augusta z tronu. Rozpoczęli walkę, czyli powstanie nazywane konfederacją barską, bo zaczęło się w mieście Bar. Niestety, poniosło ono klęskę, a Rosja, Prusy (dzisiejsze Niemcy) i Austria zagarnęły dla siebie część polskich ziem. Był to pierwszy rozbiór Polski.

Król Stanisław August Poniatowski spotykał się z artystami i ciekawymi ludźmi co tydzień na słynnych obiadach czwartkowych. Goście nie tylko jedli, ale przede wszystkim rozmawiali o sztuce, poezji i nauce. W Muzeum Uniwersytetu Jagiellońskiego w Krakowie do dzisiaj przechowywana jest tabliczka czekolady z tych obiadów.

Poseł Tadeusz Rejtan jako jedyny sprzeciwił się pierwszemu rozbiorowi Polski. Położył się w drzwiach i nie chciał wypuścić przekupionych zdrajców, wołając że mogą przejść tylko po jego trupie. Jest symbolem miłości do ojczyzny, czyli patriotyzmu.

Polacy, którzy kochali ojczyznę i chcieli, aby pozostała niepodległa, czyli niezależna od obcych państw, postanowili ją ratować. Zebrali się w czasie Sejmu Wielkiego obradującego aż cztery lata i uchwalili bardzo ważny dokument, Konstytucję 3 Maja. Zapisano w nim wszystkie konieczne prawa i zasady, według których Polska powinna być zmieniona, aby znów stała się silnym, wolnym krajem. Był to pierwszy taki dokument w Europie i drugi na świecie po Stanach Zjednoczonych Ameryki.

Caryca Rosji zrozumiała, że konstytucja rzeczywiście przywróci Polsce siłę, i aby do tego nie dopuścić, wprowadziła do Polski swoje wojska. Na dodatek namówiła Prusy i Austrię do kolejnych dwóch rozbiorów Rzeczpospolitej. Nie przejmując się żadnymi prawami, jak bandyci i złodzieje, nasi sąsiedzi podzielili między siebie nasz kraj. Polska zniknęła z mapy Europy.

Jeden z naszych zaborców, Prusy (dzisiejsze Niemcy), które zajęły Kraków, dopuściły się niezwykle haniebnego czynu. Ze skarbca wawelskiego Prusowie ukradli polskie insygnia koronacyjne, czyli używane jeszcze przez królów z dynastii Piastów korony, berła i jabłka, symbol niepodległości i potęgi Polski. Przetopili je potem na monety. W ten sposób utraciliśmy je na zawsze.

Pytania

1. Jak nazywał się ostatni król Polski?
2. Co to były rozbiory Polski i kto ich dokonał?
3. Jak protestował przeciwko rozbiorom Tadeusz Rejtan?

Polacy w boju o Polskę

Po drugim rozbiorze Polacy próbowali jeszcze obronić swoją niepodległość. Na czele powstania stanął generał Tadeusz Kościuszko. W bitwie pod Racławicami poprowadził on do zwycięstwa dzielnych chłopów krakowskich nazwanych kosynierami, ponieważ ich bronią były kosy. Wśród nich zasłynął Bartosz Głowacki, który zgasił lont rosyjskiej armaty swoją czapką. W nagrodę został szlachcicem. Powstanie kościuszkowskie poniosło jednak klęskę.

We Włoszech powstały Legiony Polskie pod dowództwem generała Dąbrowskiego, które chciały walczyć o niepodległą Polskę razem z wodzem Francuzów, Napoleonem Bonaparte.

Przeciwko Rosji Polacy walczyli jeszcze w dwóch powstaniach. Pierwsze z nich nazwane listopadowym, ponieważ wybuchło właśnie w tym miesiącu, przyniosło Polakom wiele zwycięstw: pod Grochowem, Stoczkiem, Wawrem, ale skończyło się klęską. Powstańcy musieli wyjechać na emigrację, czyli porzucić swoje domy, czasem rodziny i zamieszkać we Francji lub innym kraju. Pozostanie na ziemiach rodzinnych groziło aresztowaniem.

Tadeusz Kościuszko

Tadeusz Kościuszko jest także bohaterem Stanów Zjednoczonych, gdzie walczył o wolność tego kraju.

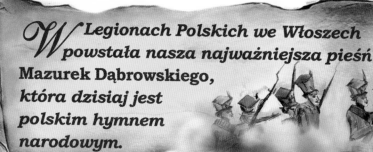

W Legionach Polskich we Włoszech powstała nasza najważniejsza pieśń Mazurek Dąbrowskiego, która dzisiaj jest polskim hymnem narodowym.

Generał Józef Bem był wielkim dowódcą, artylerzystą, bohaterem powstania listopadowego. Walczył także o wolność Węgier. W stolicy tego państwa, Budapeszcie, wystawiono mu pomnik.

Polaków jednak nie załamywały klęski. Chcieli walczyć aż do odzyskania niepodległej ojczyzny. Nie udało się to jednak w następnym powstaniu styczniowym. Choć trwało najdłużej, bo prawie dwa lata, i stoczono w nim ponad tysiąc bitew i potyczek, także zakończyło się przegraną Polaków. Po powstaniu car Rosji kazał surowo ukarać Polaków za to, że ośmielili się walczyć o wolność. Powstańców skazywano na śmierć, zabierano im domy, wywożono do Rosji na daleki Sybir.

Na emigracji, we Francji rozsławiali Polskę swoimi dziełami poeci: Adam Mickiewicz, Juliusz Słowacki, Cyprian Kamil Norwid, a także kompozytor i pianista Fryderyk Chopin.

Pytania

1. Kto to są kosynierzy?
2. Jak nazywa się pieśń, która jest hymnem Polski?
3. Gdzie wywożono Polaków po przegranych powstaniach?

Praca jako walka

Polacy nie tylko walczyli o niepodległość z bronią w ręku. Starali się także jak najlepiej pracować, tworzyć polskie instytucje, zachować jak najwięcej ziemi. Chcieli przede wszystkim pozostać Polakami, a pod zaborami nie było to wcale łatwe. Władze rosyjskie i pruskie robiły wszystko, aby Polaków zniszczyć. Zamierzali zmienić ich w Rosjan i Niemców. Dlatego nie pozwalali mówić po polsku, uczyć dzieci historii Polski, czytać polskich książek. Zabraniały nawet modlić się po polsku.

Henryk Sienkiewicz

Tylko pod zaborem austriackim Polacy mieli więcej swobody i mogli pielęgnować polskość. Z wszystkich dawnych ziem polskich przybywali do Krakowa rodacy, aby zwiedzać Wawel, gdzie można było poznać polską historię i przypomnieć sobie o czasach, gdy ojczyzna była wolna, wielka i wspaniała. W katedrze wawelskiej w pięknych sarkofagach spoczywają nasi królowie. Odwiedzanie tego miejsca przywracało wielu Polakom nadzieję, że naród z taką przeszłością będzie jeszcze cieszyć się niepodległością.

Dzieci ze szkoły we Wrześni w zaborze pruskim odmówiły nauki, kiedy zmuszano je do modlenia się po niemiecku. Mimo bicia nie przerwały strajku.

Aby podtrzymać tę nadzieję, znany pisarz Henryk Sienkiewicz opisywał wielkie polskie zwycięstwa w *Trylogii*. Przypomniał w tej książce nasze wojny z Kozakami, Szwedami i Turkami. Wdzięczni rodacy za napisanie powieści podarowali pisarzowi piękny dworek, czyli dom, w Oblęgorku. Sienkiewicz dostał także Nagrodę Nobla.

Znane wydarzenia z naszych dziejów przedstawiał na ogromnych obrazach malarz Jan Matejko. Dzięki temu Polacy mogli być dumni ze swojej historii, dodawało im to również sił i wiary do walki z zaborcami.

Maria Konopnicka, autorka wierszy i bajek dla dzieci, napisała także znaną pieśń pod tytułem Rota. Przypomniała w niej, że Polacy nigdy nie oddadzą własnej ziemi i nie przestaną być Polakami. Zrobią wszystko, aby obronić swoje polskie zwyczaje, tradycje, bo wywodzą się z królewskiego rodu.

Maria
Konopnicka

Michał Drzymała zamieszkał w wozie cyrkowym, gdy władze pruskie nie pozwoliły mu wybudować domu na własnej ziemi. W ten sposób nie oddał ziemi Niemcom.

Pytania

1. Jakie wojny opisywał Henryk Sienkiewicz?
2. Z czego zasłynęły polskie dzieci z Wrześni?
3. Jakie obrazy malował Jan Matejko?

Jak to na wojence ładnie

Polacy byli w niewoli ponad 100 lat. Przez te wszystkie lata nie stracili nadziei na odzyskanie niepodległej ojczyzny. Dlatego, kiedy wybuchła wielka wojna między zaborcami, nazwana pierwszą wojną światową, nasi prapradziadkowie mogli pokazać, że są gotowi do walki o swoją wolność.

O wolną Polskę walczyły także polskie dzieci. Najodważniejsze z nich oddały swoje życie za ojczyznę, broniąc starego polskiego miasta Lwów. Nazwano ich Orlętami Lwowskimi. Młodzi chłopcy, którzy mieli po 11 lat, walczyli równie dzielnie jak dorośli, ponieważ tak samo mocno pragnęli żyć w wolnym kraju. Symbolem bohaterskich obrońców jest Jurek Bitschan, harcerz, który zginął w czasie walk na cmentarzu Łyczakowskim.

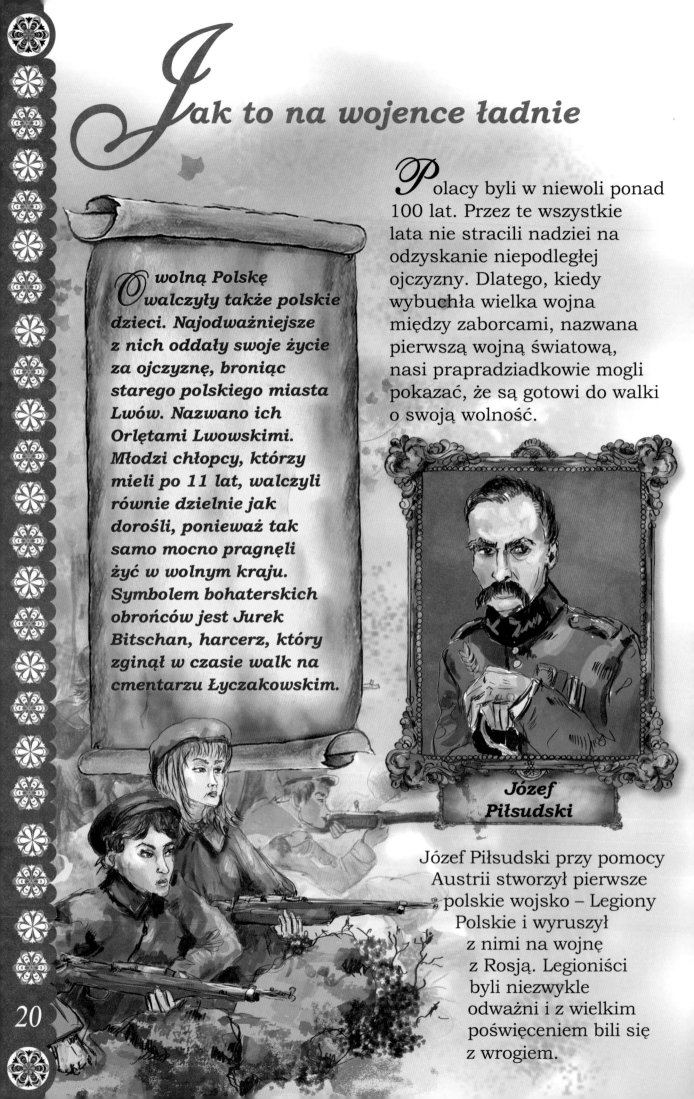

Józef Piłsudski

Józef Piłsudski przy pomocy Austrii stworzył pierwsze polskie wojsko – Legiony Polskie i wyruszył z nimi na wojnę z Rosją. Legioniści byli niezwykle odważni i z wielkim poświęceniem bili się z wrogiem.

Ignacy Jan Paderewski

Oto, aby Polska była niepodległa, starali się także różni polscy politycy. Przekonywali rządzących innymi państwami, że Polska powinna powrócić na mapę Europy. Najlepiej udawało się to Romanowi Dmowskiemu we Francji oraz Ignacemu Janowi Paderewskiemu, znanemu w Europie i Stanach Zjednoczonych pianiście, ale przede wszystkim wielkiemu patriocie.

We Francji na czele polskiej Błękitnej Armii stanął generał Józef Haller. Żołnierze ubrani w błękitno-niebieskie mundury, od czego wzięła się nazwa wojska, byli bardzo dobrze i nowocześnie uzbrojeni, dlatego świetnie walczyli.

Pierwsza wojna światowa skończyła się po czterech latach. Przyniosła śmierć wielu milionom ludzi, w tym także wielu Polakom. Nasze ziemie bardzo zniszczono w wyniku działań wojennych. Mimo to Polacy mieli powód do największej radości. Skończyła się nasza niewola. Polska odzyskała niepodległość i znów pojawiła się na mapie Europy.

1. Ile lat Polacy byli w niewoli?
2. Jak nazywało się wojsko stworzone przez Józefa Piłsudskiego?
3. Kim są Lwowskie Orlęta?

Druga Rzeczpospolita

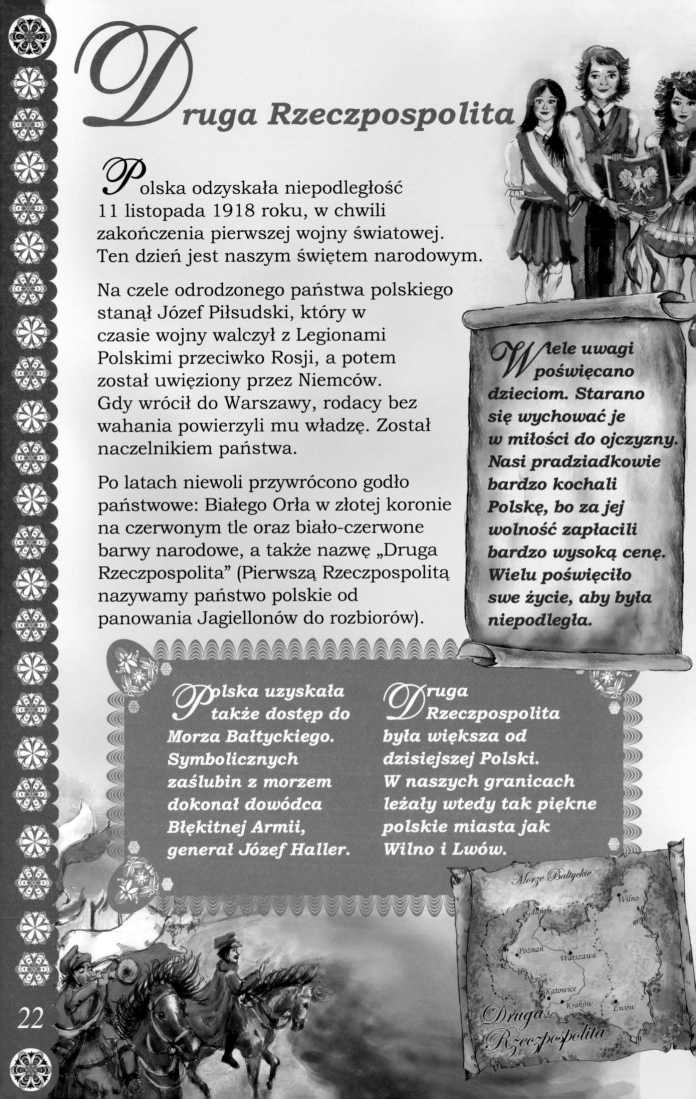

Polska odzyskała niepodległość 11 listopada 1918 roku, w chwili zakończenia pierwszej wojny światowej. Ten dzień jest naszym świętem narodowym.

Na czele odrodzonego państwa polskiego stanął Józef Piłsudski, który w czasie wojny walczył z Legionami Polskimi przeciwko Rosji, a potem został uwięziony przez Niemców. Gdy wrócił do Warszawy, rodacy bez wahania powierzyli mu władzę. Został naczelnikiem państwa.

Po latach niewoli przywrócono godło państwowe: Białego Orła w złotej koronie na czerwonym tle oraz biało-czerwone barwy narodowe, a także nazwę „Druga Rzeczpospolita" (Pierwszą Rzeczpospolitą nazywamy państwo polskie od panowania Jagiellonów do rozbiorów).

Wiele uwagi poświęcano dzieciom. Starano się wychować je w miłości do ojczyzny. Nasi pradziadkowie bardzo kochali Polskę, bo za jej wolność zapłacili bardzo wysoką cenę. Wielu poświęciło swe życie, aby była niepodległa.

Polska uzyskała także dostęp do Morza Bałtyckiego. Symbolicznych zaślubin z morzem dokonał dowódca Błękitnej Armii, generał Józef Haller.

Druga Rzeczpospolita była większa od dzisiejszej Polski. W naszych granicach leżały wtedy tak piękne polskie miasta jak Wilno i Lwów.

Morze Bałtyckie

Wilno

Gdańsk

Poznań

Warszawa

Katowice

Kraków

Lwów

Druga Rzeczpospolita

Mimo że Polska była niepodległa, musiała jeszcze przez kilka lat walczyć o wyznaczenie granic. W Wielkopolsce doszło do pierwszego zwycięskiego powstania polskiego. Na Śląsku, aby przyłączyć do Polski bogate zagłębia węglowe z Katowicami i Chorzowem, Polacy wywołali aż trzy powstania. Jednak najcięższe walki przyszło nam toczyć o granicę wschodnią z Rosją, w której władzę przejęli bolszewicy, czyli komuniści. Mieli oni zamiar zaprowadzić swe krwawe i okrutne rządy w całej Europie. Na szczęście na ich drodze stanęła polska armia dowodzona przez Józefa Piłsudskiego. W wielkiej bitwie pod Warszawą 15 sierpnia 1920 roku Polacy pokonali bolszewików i uratowali Europę przed komunizmem.

Polacy szybko przystąpili do odbudowy zniszczonego walkami kraju. Udało się wprowadzić nowy pieniądz – złoty polski. W Gdyni zbudowano najnowocześniejszy port na Bałtyku.

Pytania

1. Jak wyglądało polskie godło przywrócone po latach niewoli?
2. Kogo Polacy pokonali w bitwie pod Warszawą?
3. Jaki port zbudowali Polacy nad Bałtykiem?

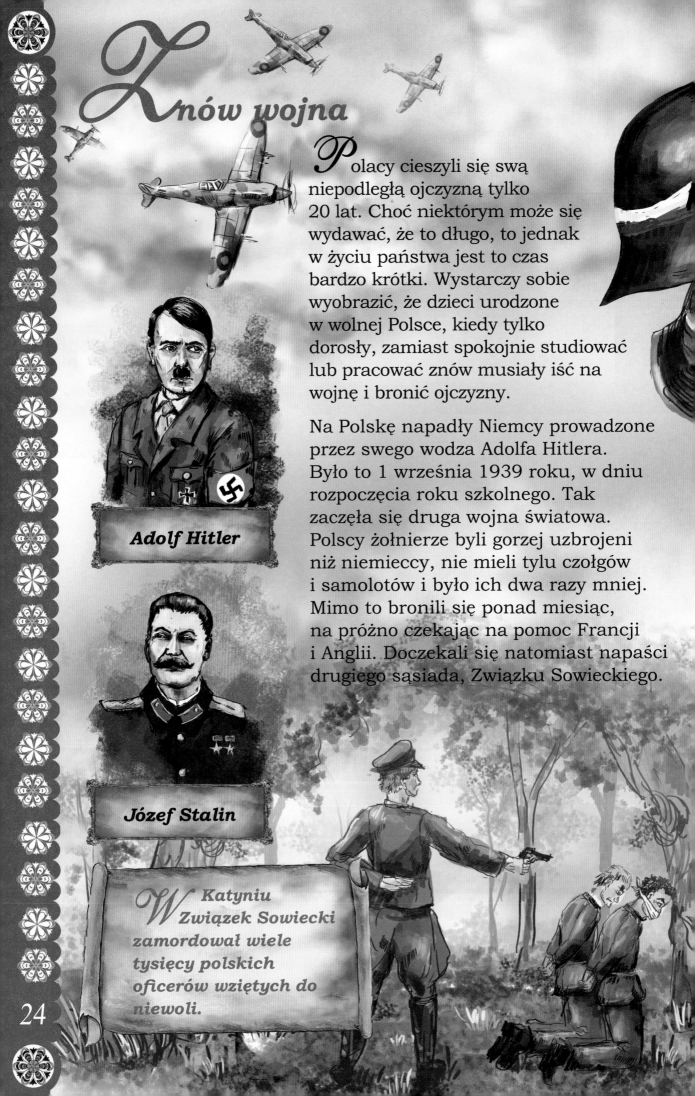

Znów wojna

Polacy cieszyli się swą niepodległą ojczyzną tylko 20 lat. Choć niektórym może się wydawać, że to długo, to jednak w życiu państwa jest to czas bardzo krótki. Wystarczy sobie wyobrazić, że dzieci urodzone w wolnej Polsce, kiedy tylko dorosły, zamiast spokojnie studiować lub pracować znów musiały iść na wojnę i bronić ojczyzny.

Na Polskę napadły Niemcy prowadzone przez swego wodza Adolfa Hitlera. Było to 1 września 1939 roku, w dniu rozpoczęcia roku szkolnego. Tak zaczęła się druga wojna światowa. Polscy żołnierze byli gorzej uzbrojeni niż niemieccy, nie mieli tylu czołgów i samolotów i było ich dwa razy mniej. Mimo to bronili się ponad miesiąc, na próżno czekając na pomoc Francji i Anglii. Doczekali się natomiast napaści drugiego sąsiada, Związku Sowieckiego.

Adolf Hitler

Józef Stalin

W Katyniu Związek Sowiecki zamordował wiele tysięcy polskich oficerów wziętych do niewoli.

24

Harcerze w czasie wojny malowali na murach „kotwice" – znak Polski Walczącej. Walczyli także z bronią w ręku.

Okazało się, że już wcześniej jego przywódca Józef Stalin umówił się z Hitlerem, że podzielą między siebie ziemie Rzeczpospolitej. Był to już czwarty rozbiór Polski.

Wojna trwała sześć lat. W tym czasie Polacy jako jedyni stworzyli Polskie Państwo Podziemne, a także tajne wojsko – Armię Krajową. Jej żołnierze bohatersko walczyli w powstaniu warszawskim.

Polscy żołnierze walczyli także poza granicami Polski. Bronili Francji i Norwegii. Bili się w Afryce, a potem wyzwalali Europę.

Westerplatte jest symbolem bohaterskiej walki Polaków przeciw Niemcom. Broniło się aż siedem dni zamiast jednego, jak przewidywały rozkazy.

Pytania

1. Kto napadł Polskę w 1939 roku i dokonał jej czwartego rozbioru?
2. Przed kim bronili się Polacy na Westerplatte?
3. Jak nazywało się tajne wojsko utworzone przez Polaków w czasie drugiej wojny światowej?

Polska zniewolona

kard. Stefan Wyszyński

Komuniści zmienili godło państwowe, zdjęli orłowi koronę, która jest symbolem niepodległości.

Polaków przed komunistami bronił Kościół katolicki, a szczególnie prymas Polski kardynał Stefan Wyszyński.

Polacy nie mieli niestety powodu, by cieszyć się z zakończenia drugiej wojny światowej. Co prawda Niemcy zostały pokonane, ale nasz kraj zajął Związek Sowiecki i wprowadził komunistyczne rządy.

Komuniści nienawidzili niepodległej Polski, dlatego wszystkich bohaterów, którzy o nią walczyli w czasie wojny, wsadzali do więzień lub mordowali.

Komunistyczne bloki, czyli domy, były wysokie i duże, ale mieszkania w nich miały małe pokoje, ciasne kuchnie i łazienki bez okien.

Przed sklepami ustawiały się bardzo długie kolejki. Ludzie musieli stać długie godziny, by kupić cokolwiek, nawet papier toaletowy.

26

Syrena, mały fiat i trabant z plastiku to najczęściej spotykane samochody tamtych czasów.

Zwykli ludzie, mimo ciężkiej pracy, byli biedni. Brakowało wszystkiego: dobrego jedzenia, samochodów, domów i mieszkań. Komuniści budowali ogromne fabryki, produkowali czołgi i broń i prawie wszystko wysyłali do Związku Sowieckiego.

Polacy próbowali walczyć z komunistyczną władzą, ale komuniści wysyłali przeciwko nim milicję i wojsko.

Ludzie nie mogli robić tego, co naprawdę chcieli, a tylko to, na co pozwalali komuniści. A ci zabraniali wyjeżdżać za granicę, słuchać zagranicznej muzyki. W szkole uczono dzieci nieprawdziwej historii i kazano kochać Związek Sowiecki.

Jeden z przywódców komunistycznej Polski, Edward Gierek, pożyczył od bogatych państw mnóstwo pieniędzy i próbował oszukać Polaków, że Polska odnosi sukcesy. Wmawiały to wszystkim gazety, telewizja i radio. Chociaż przez pewien czas było w sklepach więcej towarów, a nawet Polacy mogli skosztować coca-coli, której wcześniej nie można było do Polski sprowadzać, to jednak wkrótce pożyczone pieniądze się skończyły i zaczęło brakować wszystkiego.

Pytania

1. Kto odebrał wolność Polakom po drugiej wojnie światowej?
2. W czym musieli stać Polacy przed sklepami?
3. Co to jest syrena i trabant?

27

Solidarność

W końcu Polacy doczekali się wielkiego i radosnego wydarzenia. Nasz rodak, kardynał Karol Wojtyła, arcybiskup krakowski, został papieżem i przyjął imię Jan Paweł II. Ojciec Święty od razu zapragnął odwiedzić swoją ojczyznę. Komuniści nie chcieli się na to zgodzić, ale po roku wreszcie wysłali zaproszenie.

Pielgrzymka Jana Pawła II do Polski stała się bardzo ważnym przeżyciem dla milionów Polaków.

papież
Jan Paweł II

Papież potrafił obudzić w swoich rodakach nadzieję na zmianę ciężkiego i smutnego życia pod rządami komunistów.

Strajk, który doprowadził do powstania „Solidarności", rozpoczął się w Stoczni Gdańskiej, kiedy dyrektor zwolnił Annę Walentynowicz, domagającą się praw dla robotników.

Niedługo po jego wyjeździe polscy robotnicy zbuntowali się przeciwko niesprawiedliwej władzy. Ogłosili strajk generalny, czyli przestali pracować w całym kraju. Utworzyli związek „Solidarność" z Lechem Wałęsą na czele i żądali od komunistycznego rządu wprowadzenia wielu zmian w Polsce.

Maryja Królowa Polski

Ponieważ „Solidarność" stanowiła ogromną siłę, bo należały do niej miliony Polaków, komuniści musieli zgodzić się na jej żądania. Było to wielkie zwycięstwo.

Czas od powstania „Solidarności" do wprowadzenia stanu wojennego nazywany jest często „karnawałem", gdyż Polacy bardzo cieszyli się z odzyskanej wtedy na chwilę wolności.

Niestety, komuniści nie dotrzymali słowa i wypowiedzieli „Solidarności" wojnę. Komunista generał Wojciech Jaruzelski ogłosił stan wojenny i wyprowadził na ulice czołgi oraz wojsko. Komunistyczne rządy doprowadziły Polskę do zupełnej ruiny. W końcu komunizm upadł, a Polska odzyskała wolność.

ks. Jerzy Popiełuszko

Ksiądz Jerzy Popiełuszko został zamordowany przez komunistów za to, że chciał, aby Polacy byli wolni. Odprawiał msze święte w intencji ojczyzny i modlił się za prześladowanych. Głosił, że zło należy zwyciężać dobrem.

W stanie wojennym komuniści strzelali do robotników. Wśród zabitych byli górnicy kopalni „Wujek" w Katowicach, którzy bronili swego zakładu.

Pytania

1. Jak nazywał się papież Polak?
2. Co zaczęło się w Stoczni Gdańskiej?
3. Jak nazywał się związek, który walczył o wolność Polski?

Do tej pory w serii ukazały się:

KOREKTA
Anna Chadzińska
Agata Pindel-Witek

RYSUNKI
Krystyna Mól

PROJEKT OKŁADEK SERII,
SKŁAD
Łukasz Kosek

ISBN 978-83-7569-148-1

© 2009 Dom Wydawniczy „Rafael"
ul. Ostatnia 1c, 31-444 Kraków
tel./fax 012 411 14 52
e-mail: rafael@rafael.pl
www.rafael.pl

Druk: Drukarnia RAFAEL

Granice Polski

Morze Bałtyckie

Gdańsk

Poznań

Warszawa

Kraków

Lu

Państwo Mieszka I

Rzeczpospolita Obojga N

Rzeczpospolita Polska dz